Judy Moody

Judy de bom humor · Judy de mau humor
Sempre Judy Moody

Judy Moody

Megan McDonald

Ilustrado por
Peter Reynolds

Traduzido por Isa Mara Lando

14ª Reimpressão

DE ACORDO COM AS
NOVAS
NORMAS
ORTOGRÁFICAS

SALAMANDRA

JUDY MOODY
texto ® 2000 Megan McDonald
ilustração © 2000 Peter Reynolds
Judy Moody Foat © 2000 Peter H. Reynolds

Coordenação editorial
Lenice Bueno da Silva

Assistência editorial
Fernanda Magalhães

Tradução
Isa Mara Lando

Revisão
Denise de Almeida

Editoração eletrônica
A+ Comunicação

Saída de Filmes
Helio P. de Souza Filho, Marcio Hideyuki Kamoto

Impressão: Cromosete

Dados Internacionais de Catalogação na Publicação (CIP)
(Câmara Brasileira do Livro, São Paulo, Brasil)

McDonald, Megan
    Judy Moody : Judy de bom humor: Judy de mau humor: sempre
Judy Moody I Megan McDonald ; ilustrado por Peter Reynolds ;
traduzido por Isa Mara Lando. -- São Paulo: Salamandra, 2004.

Título original: Judy Moody was in a mood

    1. Literatura infanto-juvenil I. Reynolds, Peter. 11. Título.

04-3774   CDD-028.5

Todos os direitos reservados no Brasil por

Editora Moderna Ltda
Rua Padre Adelino, 758, Belenzinho
03303-904 – São Paulo, SP
Vendas e Atendimento: tel.: (11)2790-1500
Fax: (11) 2790-1501
Impresso no Brasil, 2012

Para minhas irmãs Susan, Deborah, Michele.
M.M.

Para minhas filhas, Sarah, e seu gato, Twinkles.
P.R.

Quem é quem

Judy

GRRRR!
A grande estrela do
nosso show.
Famosa pelas suas
mudanças de
humor.

Papai

Bom em palavras cruzadas,
quebra-cabeças, programas
de perguntas, vendas de
garagem.

Mamãe

Mãe de Judy. Canta
num coral e gosta de
comer verduras.

Chiclete

Irmão menor de Judy. Recebeu
este apelido por estar sempre
grudado nela. Muitas vezes,
rouba a cena.

Ratinha

A gata de Judy.

Rocky

O melhor
amigo de Judy.

Prof. Nelson

O melhor
professor do mundo.

Frank

Quer ser amigo de Judy.
É suspeito de comer cola.

Jéssica

Colega de classe,
chamada "Sabe-Tudo"
ou "Rainha da Ortografia".

Sumário

Mau humor

Judy não queria deixar para trás as férias de verão. Não tinha vontade nenhuma de pentear o cabelo todos os dias. Muito menos de decorar palavras esquisitas. E também não queria sentar ao lado do Frank, um garoto que até comia cola!

Judy acordou de mau humor.

Pior que mau humor. Péssimo humor. Com raiva de tudo. Nem o cheiro da sua caixa de lápis de cor novinha, com os lápis "Malucos", conseguia tirá-la da cama.

– Ju-u-dy! Primeiro dia de au-la! – chamou a mãe, bem cantado. – Vamos le-van-tar, colocar a roupa nova da escola!

Judy afundou debaixo das cobertas e botou o travesseiro em cima da cabeça.

– Judy! Você me ouviu?

– GRRRR!

Como era chato ter que se acostumar com uma nova carteira e uma nova sala de aula. A carteira nova com certeza não teria um adesivo de jacaré com seu nome escrito, como a carteira do ano passado. A nova sala de aula também não teria um mascote como a outra: um porco-espinho chamado Roger.

E, com a sorte que ela tinha, iria acabar sentando na primeira fila, onde o professor poderia ver perfeitamente cada vez que ela tentasse passar um bilhete para Rocky, o seu melhor amigo.

A mãe enfiou a cabeça de novo no quarto de Judy: – E não esqueça de pentear o cabelo, hein?

Uma das piores coisas do primeiro dia de aula é que todo mundo volta das férias de verão usando camisetas novas com dizeres como DISNEY, MUNDO SUBMARINO ou A JOIA DA SERRA. Judy procurou em todas as gavetas, até na gaveta das meias, mas não encontrou nenhuma camiseta com alguma coisa interessante escrita.

Vestiu sua calça de pijama com listras de tigre e uma camiseta velha, lisa, sem nada escrito.

– Ela está de pijama! – disse seu irmão, o Chiclete, quando Judy desceu a escada. – Ei, não pode ir de pijama pra escola!

O Chiclete achava que sabia tudo, agora que ia entrar na segunda série. Judy lhe mandou um olhar fulminante.

– Ela pode trocar de roupa depois do café – disse a mamãe.

– Fiz ovos fritos para o primeiro dia de aula – disse o papai. – Tem pão fresquinho para molhar na gema. Tipo sol nascendo!

Mas o ovo de Judy não parecia nem um pouco com o sol nascendo – a gema estava quebrada. Judy fez o ovo deslizar para o guardanapo no seu colo e o deu disfarçadamente à gata Ratinha, que estava debaixo da mesa.

– As férias já acabaram e eu nem fui pra lugar nenhum! – reclamou Judy.

– Foi, sim – disse a mãe. – Você foi para a casa da vovó Luísa.

– Ah, mas isso foi aqui pertinho! E numa cidade sem nada de interessante. Eu não comi cachorro-quente, não andei de montanha-russa, não vi nenhuma baleia nem golfinho.

– Mas você andou no carrinho de trombadas – disse a mãe.

– Ah, isso é coisa de nenê! E foi lá no shopping!

– Você foi pescar e comeu tubarão – disse o pai.

– Ela comeu um tubarão? – perguntou Chiclete.

– Eu comi tubarão? – perguntou Judy.

– Comeu, sim – disse o pai. – Lembra do peixe que nós compramos no mercado, depois que não conseguimos pescar nenhum?

– Eu comi um tubarão!!! – gritou Judy.

Voltou correndo para o seu quarto e arrancou a camiseta. Tirou da gaveta um marcador preto bem grosso e desenhou um tubarão com uma boca enorme, cheia de dentes pontiagudos. Daí escreveu em letras bem grandes: EU COMI UM TUBARÃO.

Judy correu para o ponto do ônibus.

Não esperou Chiclete. Também não esperou os beijos de despedida do papai nem os abraços da mamãe. Estava morrendo de pressa para mostrar a Rocky sua nova camiseta com a grande novidade do verão!

Já tinha quase esquecido que estava de mau humor, mas daí viu Rocky no ponto de ônibus, treinando truques com cartas. Estava com uma camiseta enorme, azul e branca, com letras engraçadas e uma foto da Montanha-Russa do Dragão.

— Que tal minha camiseta nova? — perguntou ele. — Comprei lá na Flórida.

— Não gostei, não — disse Judy, apesar de que, secretamente, tinha gostado.

— Eu gosto desse seu tubarão — disse Rocky. Vendo que Judy não dizia nada, ele perguntou: – Você está de mau humor, ou algo do gênero?

    – Algo do gênero.... – disse Judy.

Grrrrr!

Quando Judy chegou na sala da terceira série, seu novo professor estava na porta, recebendo os alunos.

– Alô, Judy!

– Oi, professor Nelson – disse Judy.

– Turma, por favor, pendurem suas mochilas naqueles ganchos ali e as lancheiras deste lado – disse o professor.

Judy olhou em volta, examinando a sala de aula.

Judy perguntou ao professor:

– Aqui tem um porco-espinho chamado Roger?

– Não, mas temos uma tartaruga chamada Pituca. Você gosta de tartarugas?

Ela bem que gostava! Mas conseguiu se segurar, bem a tempo:

– Não! Só gosto de sapos.

– Rocky, seu lugar é ali na janela – disse o professor.

– Judy, você vai sentar aqui na frente.

– Eu sabia! – disse Judy.

Examinou a primeira fileira. Nenhuma carteira tinha um adesivo de jacaré com o seu nome. Você já pode imaginar quem sentou ao lado dela: O Frank Come-Cola.

Frank lhe deu uma olhada de lado, daí esticou o polegar e virou bem para trás, até encostar no pulso. Judy mostrou a língua para ele.

– Você também gosta de tubarões? – perguntou ele, passando para ela um envelopinho branco com o nome dela.

Desde a época em que dançavam quadrilha no jardim-de-infância, esse menino não deixava Judy em paz. Na primeira série Frank mandou a ela cinco cartões do Dia dos Namorados. Na segunda série ele lhe trazia chocolates de presente em todos os feriados. E agora, no primeiro dia de aula da terceira série, acabava de lhe dar um convite para uma festa de aniversário. Judy olhou a data no cartão: era o aniversário dele, e ainda faltavam três semanas! Nem um tubarão de verdade seria capaz de fazer aquele carrapato desgrudar dela.

– Posso dar uma olhada na sua carteira? – perguntou Judy. Ele se afastou para o lado: nem sinal de vidro de cola.

O professor tinha escrito no quadro-negro com letras bem grandes: PIZZA DO GINO – QUEIJO EXTRA.

– Oba! Vamos ter pizza no almoço? – perguntou Judy.

– Não, é para usar em ortografia – disse o professor. Levou um dedo à boca pedindo segredo: – Espere e verá!

Falou então: – Atenção, turma! Vocês precisam conhecer os novos colegas, e este ano vamos fazer uma experiência diferente. Cada um vai fazer uma colagem chamada "Quem Sou Eu". Ali vai colocar tudo sobre a sua pessoa, a sua vida. Podem fazer desenhos, ou recortar e colar figuras. Sua colagem vai mostrar para os colegas o que faz de cada um de vocês uma pessoa especial.

Colagem "Quem Sou Eu"! Judy achou bem divertido, mas não falou nada.

– Temos que desenhar a árvore genealó-
gica da família? – perguntou Jéssica.

O professor respondeu: – Vou passar uma
lista de ideias que vocês podem utilizar.
Inclusive a família. E vou dar para cada um
uma pasta, para vocês começarem a juntar
tudo que vão pôr na colagem. Vamos tra-

balhar nisso durante todo este mês. No final, cada um vai mostrar a colagem para a classe toda e contar tudo sobre si mesmo.

Durante as próximas aulas, de Linguagem, História e Geografia, Judy só pensava em uma coisa: ela mesma. Judy Moody, a estrela da sua colagem "Quem Sou Eu". Puxa, até que a terceira série não era tão ruim assim!

– Atenção, turma. Hora da ortografia.

– Ortografia! Que horror! – resmungou Judy, lembrando de repente que estava de mau humor.

– Eu também odeio esse negócio de escrever palavras difíceis – concordou Frank. Judy olhou para ele de cara feia.

O professor continuou: – Peguem uma

folha de papel e escrevam cinco palavras que vocês encontrarem escondidas aqui no quadro. Usem as letras destas palavras: PIZZA DO GINO: QUEIJO EXTRA.

– Que teste legal, hein? – dizia um bilhete que Frank passou a Judy.

Ela escreveu na palma da mão: NÃO! e mostrou para ele.

Judy então pegou sua caixa de lápis de cor, novinha em folha, cada um com uma carinha maluca. A embalagem da caixa dizia: *Lápis Malucos – para dias de mau humor.* Você já viu um lápis com cara de quem levantou com o pé esquerdo?

Perfeito! Os novos lápis rabugentos ajudavam Judy a pensar. Ela leu as palavras do quadro e encontrou QUERO,

TRAZ e TÁXI. Mas, em vez disso, escreveu: NADA.

– Quem gostaria de dizer para toda a classe as cinco palavras que encontrou? – perguntou o professor.

Judy levantou a mão.

– Diga, Judy!

– NADA, NADA, NADA, NADA, NADA! – disse Judy.

– Até aí, temos só uma palavra. Preciso de mais quatro. Venha escrever no quadro.

Mas Judy não escreveu QUERO, TRAZ e TÁXI. Em vez disso, escreveu RATO e NOTA.

– Que tal BESTA? – perguntou Rocky.

– Não tem nenhum B no quadro – disse Frank.

Judy escreveu TIGRE.

– Falta só uma palavra – disse o professor.

– TIROU – escreveu Judy.

– Você consegue formar uma frase com essas palavras, Judy? – perguntou o professor.

– "O rato tirou a nota do tigre."

A classe inteira caiu na gargalhada. Frank quase sufocou de tanto rir.

– Você está de mau humor hoje? – perguntou o professor.

– Grrrrr! – disse Judy, rosnando feito um gato bravo.

– Que pena! – disse o professor Nelson. – Eu ia justamente perguntar quem quer ir até a sala do diretor pegar a pizza. É uma surpresa, para começar o semestre de pé direito.

– Pizza?

– Pizza!

– De verdade?

A sala inteira não se aguentava de agitação.

Judy queria ser a escolhida para buscar a pizza. Queria abrir a caixa. Queria ficar com a mesinha de plástico de três pernas que separa a tampa para não grudar na pizza.

– Muito bem. Quem gostaria de ir buscar a pizza? – perguntou o professor.

– Eu! – gritou Judy.

– Eu!

– Eu!

– Eu!

– Eu!

Todos gritavam ao mesmo tempo, abanando os braços como moinhos de vento.

Rocky levantou a mão sem dizer palavra.

– Rocky, você gostaria de ir pegar a pizza?

– Claro! – disse Rocky.

– Que sorte! – disse Judy.

Quando Rocky voltou com a pizza, a classe ficou quieta. Todo mundo mastigava a pizza do Gino, em pedacinhos bem pequenos. Ao mesmo tempo, ouviam o professor ler em voz alta um capítulo de um livro sobre um cachorro que adorava pizza de pimentão.

Quando ele acabou de ler, Judy perguntou: – Professor Nelson, posso dar uma olhada na mesinha da pizza?

– É verdade, Judy, até que parece uma mesinha em miniatura. Eu nunca tinha reparado.

– Eu coleciono essas mesinhas – disse Judy.

Bem, na verdade ela não colecionava mesinhas de pizza – ainda. Até o momento tinha várias coleções: 27 mariposas mortas, algumas casquinhas de ferida velhas, uma dúzia de palitinhos engraçados, centenas de band-aids com figuras (ela guardava as caixinhas para trocar por um prêmio), e uma caixa de sapatos cheia de partes do corpo (de bonecas!), inclusive três cabeças da Barbie. E ainda quatro borrachas novinhas, em formato de bola de futebol.

– Sabe de uma coisa? – disse o professor. – Se você vier para a aula de bom humor amanhã, a mesinha é sua. Combinado?

– Sim, professor – disse Judy. – SIM SIM SIM SIM SIM!

mesinha de pizza ↗

Duas cabeças pensam melhor que uma

Judy estava ensinando a Ratinha a andar nas duas patas de trás.

O telefone tocou:

– Alô?

Mas do outro lado da linha, só ar.

– Alô? – Judy perguntou para o ar.

– Alô, Judy? Oi! Seus pais vão deixar você vir na minha festa? – perguntou uma voz. Uma voz tipo Frank Come-Cola. Fazia só dois dias que ele tinha lhe dado o convite.

– É engano! – disse Judy, e desligou. Daí, ficou balançando sua nova mesinha de pizza, presa por um barbante, diante do focinho da gata.

O telefone tocou de novo.

– Alô? É a casa da Judy?

– Agora não, Frank. Estou no meio de uma experiência muito importante.

– Ok. Tchau.

O telefone tocou pela terceira vez.

– A experiência ainda não acabou! – gritou Judy no telefone.

– Que experiência? – perguntou Rocky.

– Ahn... nada! – disse Judy.

– Vamos até a lojinha? – disse Rocky.

– Quero buscar uma coisa para a minha colagem.

Na lojinha havia prêmios legais na máquina de vender doces, como tatuagens de verão e truques de mágica.

– Vou pedir – disse Judy. – Mamãe, posso ir até a lojinha com o Rocky?

– Claro – disse a mãe.

– Oba! – disse Judy, jogando para a Ratinha a mesinha de pizza.

– Eu vou junto! – disse o Chiclete.

– Não vai não! – disse Judy.

– Judy, leve seu irmão – disse a mãe, olhando feio.

– Mas ele não sabe atravessar a China e o Japão no caminho até lá. – Só os melhores amigos dela sabiam que o primeiro quebra-molas era a China, e o segundo, o Japão.

– Você pode muito bem ensinar a ele – disse a mãe.

– Me ensina! – disse Chiclete.

– Te encontro no buraco do telefone – disse Judy ao telefone.

O "buraco do telefone" era o bueiro da companhia telefônica, que ficava bem no meio do caminho entre a casa da Judy e a do Rocky. Nas férias de verão eles tinham medido essa distância com um barbante bem comprido.

Judy saiu correndo para a rua. Chiclete correu atrás dela.

Rocky tinha uma nota, Judy também. Chiclete tinha seis moedinhas.

– Juntando nosso dinheiro, dá para comprar oito puxa-puxas – disse Rocky.

– Duas cabeças pensam melhor que uma – disse Judy, dando risada. – Entendeu? – Desamassou a nota que tinha no bolso e apontou para a gravura: era a cabeça de algum figurão.

– Eu tenho seis cabeças – disse Chiclete, mostrando suas moedinhas.

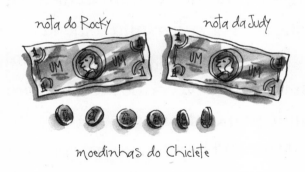

nota do Rocky

nota da Judy

moedinhas do Chiclete

– Claro, você é um monstro!

Judy e Rocky caíram na risada.

Chiclete não tinha dinheiro nem para

um único puxa-puxa. Falou para a irmã:

— Se você comer oito, vai quebrar os dentes! Posso comer pelo menos dois no seu lugar.

— É só por causa dos prêmios – disse Judy.

— Se a gente conseguir oito moedas, teremos oito chances de ganhar um truque de mágica – disse Rocky. – Preciso de um novo truque para pôr na minha colagem.

— Ei, espere um pouco! – disse Judy. – Lembrei agora: preciso do meu dinheiro pra comprar band-aids.

— Band-aid não tem graça nenhuma – disse Chiclete. – E você já tem uns dez milhões de band-aids. O papai falou que tem mais band-aids no banheiro da nossa casa do que lá na Cruz Vermelha.

— Mas eu quero ser médica — disse Judy. — Como a doutora Maria Augusta Estrela, a primeira mulher médica do Brasil. Ela sabia operar, costurar as partes do corpo e tudo o mais.

— Costurar partes do corpo? Que horror! — disse Chiclete.

— Você juntou as caixinhas de band-aid as férias inteiras — disse Rocky. — Pensei que já dava pra você trocar por aquela boneca médica.

— Já troquei. Quer dizer, já pedi. Faz tempo, no começo das férias. Mas ainda estou esperando chegar. Só que agora eu preciso de um microscópio. Dá pra olhar o sangue, as feridas, qualquer coisa!

Chiclete perguntou:

– Onde é a China?

– Calma, ainda estamos na rua da República – respondeu Rocky.

– Vamos procurar umas pedras até a gente chegar na China – disse Chiclete.

– Isso, vamos ver quem encontra a melhor pedra – disse Rocky.

Os três saíram andando, examinando o chão. Judy encontrou cinco pedrinhas cor-de-rosa e uma figurinha de chiclete de bola, com uma frase escrita: "VOCÊ VAI RECEBER DINHEIRO".

5 pedrinhas cor-de-rosa

figurinha de chiclete de bola

pecinha azul do lego

pedra da sorte

Rocky encontrou uma pecinha de montar do lego e uma pedra com um buraco no meio – a pedra da sorte!

– Encontrei um diamante negro! – disse Chiclete.

– Que nada, isso aí é só um pedaço de carvão – disse Judy.

– Não, é um caco de vidro – disse Rocky.

– Ei, espere! – disse Judy, piscando pro Rocky. – Acho que isso aí é um meteorito! Não é mesmo, Rocky?

– É sim, com certeza!

– Como vocês sabem? – perguntou Chiclete.

– É todo cheio de crateras, não está vendo? – disse Judy.

– Mas como ele veio parar aqui? – perguntou Chiclete.

– Caiu do céu – disse Judy.

– É mesmo? – perguntou Chiclete.

– Mesmo, mesmo, de verdade! – disse Rocky. – Eu li uma revista chamada *Lixo Espacial*. Lá explica que certa vez caiu um enorme meteorito no Arizona e fez um buracão.

Judy acrescentou:

– Ano passado a nossa professora também contou que um meteorito caiu em cima de um cachorro no Egito. Falando sério! Você teve sorte, Chiclete! Esses meteoritos têm bilhões de anos.

– A minha revista *Lixo Espacial* dizia mais uma coisa – falou Rocky. – Parece que os meteoritos têm poeira do lado de fora, mas são brilhantes do lado de dentro.

– Nesse caso – disse Judy, – só temos uma maneira de descobrir se isso aí é mesmo um meteorito.

Pegou uma pedra grande, pôs a pedrinha do chiclete no chão e bateu com toda a força. O meteorito se arrebentou em mil pedacinhos.

– Você quebrou minha pedra! – gritou Chiclete.

– Ei, acho que ela está brilhando! – disse
Rocky.

– Olha aí, Chiclete, você encontrou um
meteorito de verdade! – disse Judy.

=Só que ERA, não é mais um meteorito! –
reclamou Chiclete.

– Mas escute – disse Judy, – agora você
tem uma coisa melhor ainda do que um
meteorito.

– O que poderia ser melhor que um
meteorito? – perguntou Chiclete.

– Um montão de pó de meteorito!

Judy e Rocky se torceram de rir.

– Vou pra casa – disse Chiclete.

Apanhou do chão toda a poeira que
sobrou da pedra arrebentada e encheu os
bolsos.

Judy e Rocky foram correndo e dando risada até chegar na China. Daí voltaram andando de costas, até o Japão. Daí continuaram pulando numa perna só e dando tapinhas na cabeça ao mesmo tempo, até chegar na lojinha.

Chegando lá, cada um tirou seu dinheiro do bolso. Juntaram as cabecinhas que apareciam em suas respectivas notas e compraram uma caixa de band-aid. Sobrou um troquinho, que deu para comprar um puxa-puxa para cada um. Mas nenhum dos dois ganhou um prêmio – nem um truque de mágica para a colagem do Rocky, nem sequer uma figurinha, uma revista em quadrinhos ou uma tatuagem de verão.

– Quem sabe eu ponho um puxa-puxa na minha colagem – disse Rocky. – Você vai colar uns band-aids na sua?

– Ei, boa ideia! – disse Judy.

– Sobrou uma moedinha – disse Rocky.

Os dois compraram um chiclete de bola e guardaram para o Chiclete.

Chegando na porta da casa de Judy, Chiclete veio correndo encontrá-los, com os bolsos tilintando de moedas. Tinha colocado vários saquinhos enfileirados nos degraus da casa.

– Sabem da maior? – gritou ele de longe.

– Acabo de ganhar três pratas! Agora, depois que voltei pra casa!

– Não acredito! – disse Judy.

– Mostra que eu quero ver! – disse Rocky.

Chiclete esvaziou os bolsos. Rocky contou as moedas: estava certo, três pratas.

— O que tem nesses saquinhos? — perguntou Judy. — Aposto que a cidade inteira quer comprar.

— Fala logo! — disse Rocky. — O que é que você está vendendo?

— Pó de meteorito!

Minha mascote favorita

Era feriado, Dia do Trabalho, nada de escola. Judy levantou a cabeça da sua colagem, que estava montando na mesa da sala.

Daí, anunciou para a família:

– Precisamos de uma nova mascote aqui em casa!

– Uma nova mascote? Por quê? Você não gosta mais da Ratinha? – perguntou a mãe.

A Ratinha abriu um olho.

– O professor mandou colocar na colagem MINHA MASCOTE FAVORITA. Como

posso escolher a "favori-
ta" se eu só tenho uma?

– Escolha a Ratinha –
disse a mãe.

– Mas ela é tão velha! E tem medo de
tudo. Ela é só uma bolinha de pelo que faz
ronrom.

– Espero que você NÃO esteja pensando
em ter um cachorro – disse o pai. A gata
pulou da cadeira e se espreguiçou.

– Cachorro? A Ratinha não ia gostar
– disse Judy.

– Que tal um peixinho dourado? – perguntou Chiclete. A gata veio se esfregar na
perna de Judy.

– Peixinho? Não! – disse ela. – Isso a Ratinha ia gostar até demais ! Eu estava pensando num bicho-preguiça.

– Que legal! – disse Chiclete.

– É um bicho muito joia – disse Judy. Mostrou ao Chiclete uma foto, numa revista sobre a floresta Amazônica. – Está vendo? Eles ficam dependurados de cabeça para baixo o dia todo. Até dormem desse jeito.

– Deve ser legal dormir de cabeça para baixo – disse Chiclete.

– O que o bicho-preguiça come? – perguntou o pai.

– Diz aqui na revista que eles comem frutas e folhas de árvores – disse Judy.

– Isso é fácil de arranjar – disse o Chiclete.

– Sabe de uma coisa, Judy? – disse o pai.

– Vamos dar um pulo na loja dos bichinhos. Não prometo que vamos comprar um bicho-preguiça, mas sempre é divertido olhar os animais. Quem sabe até me dá uma ideia para as minhas palavras cruzadas. Preciso de uma palavra de sete letras que é o nome de um peixe e começa com T.

– Vamos todos! – disse a mãe.

Quando chegaram na Pelos & Penas, Judy viu cobras e papagaios, caranguejos e peixinhos dourados. Viu até um peixe com sete letras: uma tilápia.

Judy perguntou à vendedora:

– Vocês têm bicho-preguiça?

– Sinto muito, não temos.

– Ei, Judy – chamou o pai –, que tal uma salamandra? Ou uma tartaruga?

– Ou um hamster? – perguntou a mãe.

– Já entendi – disse Judy. – Aqui não vai ter nenhum bicho da floresta tropical.

– Quem sabe eles têm um gambá? – disse Chiclete.

– Para mim já chega ter *uma* criatura fedida lá em casa – disse Judy, olhando feio para o irmão.

Escolheram um ratinho de pano para a Ratinha. Quando foram pagar, Judy reparou numa planta verde cheia de dentinhos afiados, num vaso no balcão.

– O que é isso? – perguntou para a vendedora.

– É uma planta carnívora. Não é um animal, mas custa barato, e é fácil de cuidar. Está vendo essas coisas verdes, que parecem bocas cheias de dentes? Elas se fecham de repente, para comer, como armadilhas. Ela come todos os insetos da casa – moscas,

formigas... Se você quiser, também pode dar para ela um pouquinho de carne crua.

– Que estranho! – disse Judy.

– Que legal! – disse o Chiclete.

– Boa ideia! – disse a mãe.

– Negócio fechado! – disse o pai.

🌀   🌀   🌀

Judy colocou a planta, sua nova companheira, em cima da mesa, bem no lugar onde o sol batia. Ratinha observava tudo do seu lugarzinho preferido, a cama de cima do beliche, com um olho aberto e o outro fechado.

– Que legal! – disse Judy – Amanhã vou levar minha planta na escola para mostrar na Hora da Surpresa. Parece direitinho uma planta rara da floresta Amazônica.

– É mesmo? – disse Chiclete.

– Claro! Pense um pouco. Talvez haja um grande remédio para a humanidade esperando bem aqui nesses dentinhos verdes esquisitinhos. Quando eu crescer e for médica, vou estudar umas plantas assim e descobrir remédios para uma porção de doenças.

– Que nome você vai dar para a planta?

– Ainda não resolvi – disse Judy.

– Você podia chamá-la de Papa-Moscas.

– Não! Nada disso.

Judy regou sua nova amiga com bastante água. Botou também umas gotinhas de fertilizante na terra do vaso. Quando o irmão saiu, começou a cantar uma música para embalar a plantinha: "E a velha a fiar..." Cantou até o pedaço em que a aranha engole a mosca.

Ainda não tinha achado um bom nome para a planta. "Bruzundungas"? "Esdrugulária"? Muito compridos. "Coisinha"? Quem sabe.

– Chiclete! Vai buscar uma mosca pra mim.

– Mas como vou pegar uma mosca?

– Uma só, vai. Eu te dou uma moeda.

Chiclete correu até a janela atrás do sofá e trouxe de volta uma mosca.

– Mosca morta! Que nojo!

– Ah! Daqui a pouco ela ia morrer de qualquer jeito.

Judy apanhou a mosca morta com a pontinha da régua e colocou-a dentro de uma das boquinhas verdes. Num instante a planta se fechou, prendendo a mosca. Igualzinho a moça da loja tinha dito.

– Que estranho! – disse Judy.

– Nhoct! Urp! – fez Chiclete, acrescentando uns efeitos sonoros.

– Agora me arranja uma formiga, mas uma formiga bem vivinha.

Olha uma...

que beleza!

Aqui, formiguinha!

Essa não!

Nhoc!!

Urp!

Como o Chiclete estava louco para ver a planta comer outra vez, tratou de ir buscar uma formiguinha. Foi fácil: mais uma boquinha verde se fechou num átimo de segundo.

– Nhoct! – disseram Judy e Chiclete juntinhos.

– Que estranho! Estranhíssimo! – disse Judy. – Agora me arranja uma aranha ou algo do gênero.

Chiclete reclamou:

– Já estou cansado de pegar bichinhos pra você!

– Então vai perguntar pra mamãe ou pro papai se tem carne crua em casa.

Chiclete franziu a testa.

– Por favor, Chicletinho, irmãozinho, por

favorzinho, com sorvete de chantilly e cereja em cima?

Chiclete nem se mexeu.

– Eu deixo você dar a carne pra ela.

Chiclete correu para a cozinha e voltou com um pedação de carne moída. Daí jogou uma bolota bem grande dentro de uma das boquinhas abertas.

– Não! É muito! – berrou Judy, mas era tarde demais. A boca fez ZUPT- NHOCT-URP! e com uma dentada engoliu tudo, deixando uns restinhos de carne escorrendo entre os dentes. No mesmo instante o caule desabou, e a planta inteira caiu meio desmaiada na terra do vaso.

– Você matou minha planta! Você vai ver, Chiclete! MAMÃE! PAPAI!

Judy mostrou para os pais o que aconteceu.

– O Chiclete matou minha planta que come moscas!

– Foi sem querer – disse Chiclete. – Ela fechou a boca muito depressa!

– Calma, crianças – disse o pai. – Ela não morreu. Está só fazendo a digestão.

– Aposto que amanhã de manhã as boquinhas já vão estar abertas de novo – disse a mãe.

– É, ela deve estar dormindo, ou algo do gênero – disse Chiclete.

– É, algo do gênero!!! – disse Judy, furiosa.

Minha mascote fedorenta

Chegou a manhã seguinte. A planta continuava caída, com as boquinhas bem fechadas. Judy tentou lhe oferecer uma formiga novinha em folha: – Plantiiinha! – chamou, numa vozinha de bebê. – Olha aqui! Você gosta de formiguinhas, não é?

Mas os dentinhos não se abriram nem um milímetro. O caule também não se levantou, nem um fio de cabelo.

Judy desistiu. Colocou o vaso com a planta no fundo da mochila, com todo o cuidado. Tinha resolvido levá-la para a escola, mesmo pegajosa e malcheirosa.

No ônibus, mostrou para Rocky a sua nova companheira: – Eu queria tanto mostrar pra classe inteira como ela come! Só que ela não está se mexendo nem um pouquinho. E está cheirando mal.

Rocky tentou umas palavras mágicas: "Abre-te, Sésamo!", mas nada aconteceu.

– Quem sabe com o ônibus sacudindo ela vai abrir – disse ele.

– É, quem sabe – disse Judy. Mas nem mesmo os sacolejos do ônibus fizeram a planta se abrir.

– Se esse negócio morrer, vou ser obrigada a botar a Ratinha como MINHA MAS-COTE FAVORITA – disse Judy.

A primeira coisa que o professor falou quando a aula começou foi:

– Podem pegar suas colagens. Vou passar umas revistas velhas, e vocês podem recortar figuras. Ainda faltam três semanas para entregar, mas quero dar uma olhada nos trabalhos de vocês.

Ora, a colagem "Quem Sou Eu"! Judy andava tão ocupada com sua nova planta-mascote que esqueceu de levar a pasta da colagem para a escola.

Deu uma olhada na colagem do Frank. Ele tinha cortado figuras de macarrão (comida favorita), formigas (mascote favorita?) e um par de sapatos. Sapatos? Será que o melhor amigo do Frank era um par de sapatos?

Judy olhou para sua mochila, aberta debaixo da carteira. A planta continuava caída, com as boquinhas bem fechadas, e a mochila, com um cheiro horrível. Judy pegou o canudinho do suco que trouxe de lanche e espetou a planta de leve. Nada, nadinha. Pelo jeito ela não abriria a tempo para a Hora da Surpresa!

– E aí? – perguntou Frank.

– E aí, o quê?

– Você vem ou não vem?

– Aonde?

– Na minha festa de aniversário! Sábado que vem. Todos os meninos da nossa classe vão. Também convidei as crianças do vizinho, Cenoura e Alfacinha.

Judy não queria saber nem se o próprio presidente da república ia nessa festa. Deu uma cheirada na mochila. Que horror! Fedia como um gambá.

– O que é isso aí na sua mochila? – perguntou Frank.

– Não é da sua conta.

– Tem cheiro de peixe morto! – disse Frank.

Judy só queria que sua planta voltasse à vida e desse uma mordida no dedo de Frank. De preferência antes do tal aniversário.

O professor veio chegando:

– Judy, você não recortou nenhuma figura. Onde está sua colagem?

– Ahn... quer dizer... Eu ia... é... É que ontem eu ganhei uma nova mascote e...

– Não venha me dizer que a sua mascote comeu a colagem!

– Não é bem isso. Na verdade, ela comeu uma mosca morta e uma formiga viva. E depois comeu uma bolota enorme de....

– Judy, amanhã não se esqueça de trazer sua colagem. E por favor, todos vocês, guardem com cuidado sua lição de casa, longe dos animais!

– Minha nova mascote não é um animal, professor! Nem come lição de casa. Só come insetos e carne crua.

Judy tirou da mochila o vaso com a planta e quase não acreditou. A planta não estava mais desmaiada! Estava bem levantadinha, e com todas as bocas bem abertas, com a maior cara de fome.

– Aqui, professor! Essa é a minha nova mascote. Apresento a vocês.... a Papa-Tudo!

Doutora Judy

Finalmente! Judy pensou que a única coisa melhor do que ganhar uma planta carnívora era receber pelo correio uma grande caixa marrom, endereçada à "DOUTORA JUDY MOODY". Hoje ela estava com vontade de operar.

– Posso abrir? – perguntou Chiclete, saindo do seu esconderijo no armário.

– Você não sabe ler? O que diz aqui?

– DOUTORA JUDY MOODY – leu Chiclete.

– Exatamente! Eu juntei um monte de

caixinhas de band-aid, e eles me mandaram o prêmio.

– Mas eu arranjei uma porção de band-aids para você na enfermaria da escola!

– Está bem. Então pode buscar a tesoura, eu deixo.

Chiclete lhe passou a tesoura. Judy abriu a caixa. A Ratinha veio ver curiosa, e enfiou as patas na fita colante. Chiclete enfiou a cabeça dentro da caixa.

– Tira a cabeça daí! Estou no meio de uma operação! – Judy afastou o papel celofane que forrava a caixa e com todo o cuidado tirou lá de dentro uma boneca.

– Finalmente!

Judy segurou a boneca no colo e lhe fez carinho no cabelo macio e sedoso. Daí, deu um laço bem feitinho no cinto do uniforme azul e branco. A boneca tinha um bracelete no pulso, com um nome escrito.

— O nome dela é Sara Sarajá — disse Judy, lendo a etiqueta.

— Mas ela faz alguma coisa? — perguntou Chiclete.

— Diz aqui na caixa que, se a gente girar esse botão na cabeça dela, ela fica doente. Girando o botão ao contrário, ela sara... já! Compreendeu?

Judy girou o botão na cabeça da boneca até que apareceu uma outra cara.

— Olha! Ela está com caxumba! — disse Chiclete.

— E ela fala, quando a gente dá um abraço nela.

Judy deu um abraço na boneca, que logo disse numa vozinha fina:

— Estou com caxumba!

Judy girou de novo o botão e outra cara apareceu. Daí, abraçou de novo a boneca.

— Estou com catapora! — disse Sara.

— Legal! — disse Chiclete. — Uma boneca doente, com três caras!

Judy virou de novo o botão e abraçou a boneca.

— Já sarei! Já sarei! — disse Sara.

– Deixa eu também fazer ela ficar doente e depois sarar? – pediu Chiclete.

– Não! A médica aqui sou eu.

Judy abriu seu estojo de médica:

– Até que enfim posso treinar com alguém!

– Você treina em mim o tempo todo! – disse Chiclete.

– Preciso de alguém que não reclame.

– Você também iria reclamar se tivesse que ficar segurando uma lâmpada, com uma médica colando band-aids em você. E outra coisa: por que eu nunca posso ser a doutora Maria Augusta Estrela, a primeira mulher médica do país?

– Para começar, você é menino.

– Posso botar o braço dela na tipoia?

– Não!

Judy pegou seu aparelhinho de exames, enfiou no ouvido da boneca e ligou a luzinha.

– Posso pegar um pouco desse sangue da sua maleta de médica?

– Não! Fica quieto, estou escutando. – Segurou o estetoscópio na cabeça de Sara. Depois colocou no peito do Chiclete.

– Hmm....

– O quê? – perguntou Chiclete. – O que você está ouvindo?

– As batidas do coração. Isso quer dizer uma coisa.

– O quê?

– Que você está vivo!

– Deixa eu ouvir o coração bater?

– Deixo, mas primeiro vá buscar um copo d'água pra misturar o sangue.

– Vai você.

– Tá bem, mas não mexa na boneca até eu voltar! – disse Judy. – Não mexa em nada! Vê se nem respira!

Assim que Judy saiu do quarto, Chiclete girou o botão na cabeça da boneca. Caxumba. Girou o botão de novo. Catapora. Caxumba. Catapora. Caxumba. Catapora. Daí, começou a girar o botão cada vez mais depressa.

– Ihhhh!

– O que foi? – perguntou Judy, voltando com um copo d'água na mão.

– A cabeça dela emperrou. Não anda mais.

Judy agarrou a boneca.

– Estou com catapora! – disse Sara.

Judy tentou girar o botão, mas estava emperrado. Não se mexia de jeito nenhum, por mais que Judy tentasse girar, puxar, arrancar.

– Estou com catapora! Estou com catapora! – repetia Sara sem parar.

– A cabeça dela ficou presa na catapora! – gemeu Judy.

– Não tenho culpa – disse Chiclete.

– Tem sim! Agora ela nunca mais vai melhorar! – Judy pegou o pulso de Sara. Tentou ouvir o coração. Pôs a mão na testa para ver se ela estava com febre. – Minha primeira paciente, e ela vai ficar com catapora para o resto da vida!

Judy levou a boneca para a mãe, mas nem ela conseguia girar o botão. Nem com toda sua prática de abrir vidros de conserva. Judy levou a boneca para o pai, mas nem ele conseguiu virar a cabeça. Nem com toda a sua técnica para abrir vidros de *ketchup*.

– O que você vai fazer? – perguntou o papai.

– Só consigo pensar em uma coisa...

– Dar uma injeção nela? – perguntou a mamãe.

– Não – disse Judy. – Band-aids!

– Legal! – disse Chiclete.

Judy e Chiclete puseram band-aids na cara de Sara – um em cada marquinha de catapora. Depois, puseram band-aids no corpo dela inteiro. Havia band-aids de todo o tipo: Animais Ameaçados, Dinossauros, Tatuagens, Sereias, Carros de Corrida. Até um com olhos esbugalhados que brilhavam no escuro.

– Assim ela não vai poder se coçar – disse a doutora Judy.

– Ainda bem que a emergência já passou – disse o papai.

Judy resolveu girar a cabeça mais uma vez, só mais uma vezinha. Mas agora em vez de forçar, girou o botão bem devagarinho, com o máximo cuidado. Aos poucos a cabeça de Sara foi virando, e sua carinha sorridente, normal, foi aparecendo.

– Eu curei a Sara! – gritou Judy. Abraçou a boneca com força.

– Já sarei! Já sarei! – disse Sara.

– Novinha em folha! – disse a mamãe.

– Estourando de saúde! – disse o papai.

– Ainda bem que ela não está com sarampo! – disse Judy. – Eu não ia conseguir band-aids para botar em cada manchinha, nem que juntasse um milhão de anos!

O Clube do XS

– Acho que vai chover quarenta dias e quarenta noites! – disse Chiclete.

Judy estava pendurando um cobertor no beliche de cima. Fazia de conta que era a copa das árvores da floresta Amazônica, que caía em cima do beliche de baixo. Quando acabou, colocou a Papa-Tudo na cama de cima, para dar um efeito bem natural de floresta. Com isso tudo, para que ter um bicho-preguiça de verdade? Enfiou-se na cama de baixo e abriu sua colagem "Quem Sou Eu". A Ratinha subiu na cama.

– Não solte pelo em cima da minha colagem! – avisou Judy.

Chiclete enfiou a cabeça pelos cobertores. Apontou para a colagem:

– Quem é essa aí com o cabelo todo arrepiado?

– Sou eu de mau humor, no primeiro dia de aula.

– E eu? Nessa sua colagem não entra irmão?

– Irmão bobão, não.

Judy apontou para um pouco de terra colada num cantinho embaixo.

– Olha aqui, é você.

– Isso quer dizer que eu vivo sujo de terra? – perguntou Chiclete.

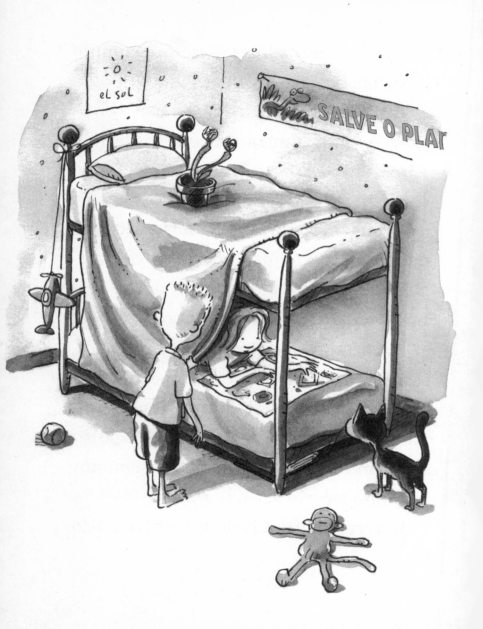

Judy caiu na risada: – Não, seu bobinho. É porque aquele dia você vendeu pó de meteorito.

– O que é essa mancha vermelha? É sangue?

– Vermelho: MINHA COR PREFERIDA.

– E onde você arranjou esses band-aids do Homem Aranha? E essa cola com purpurina prateada? Me empresta pra eu passar nas minhas asas de morcego?

"Mas que menino chato! Doido por morcegos. Está ficando mais chato que o Frank", pensou Judy.

– Não empresto nada. Esse negócio da colagem é sério. Faltam só duas semanas pra entregar!

Judy recortou uma foto de Sara Sarajá do

anúncio na sua revista *Supergarotas*. Daí, colou no cantinho da colagem que falava em medicina, ao lado de um desenho da doutora Maria Augusta, que ela copiou de uma enciclopédia.

Leu de novo a lista de ideias que o professor tinha dado.

CLUBES. "Bom, eu não sou sócia de nenhum clube", pensou Judy, "então vou ter que pular esse".

PASSATEMPOS. Seu passatempo preferido era colecionar várias coisas. Mas não podia colar uma cabecinha da Barbie nem uma casquinha de ferida na colagem. Acabou colando a mesinha de pizza da sua coleção mais nova – a que o professor lhe deu.

A PIOR COISA QUE JÁ ME ACONTECEU.

Não conseguiu pensar em nada. Pelo jeito a pior coisa ainda não tinha acontecido.

A COISA MAIS ENGRAÇADA. "Aquela noite em que eu fiquei batendo na parede do quarto do Chiclete, com umas batidinhas de alma do outro mundo, e ele ficou superassustado. Mas como eu posso colocar isso na colagem?"

Judy ficou pensando na sua colagem, até que a chuva parou. Daí, ligou para o Rocky:

– Te encontro no buraco do telefone, ok? Em cinco minutos?

Rocky chegou com sua camiseta de cobra sucuri. E – surpresa – Judy também estava com a camiseta de sucuri!

– Toca aqui! – disseram os dois ao mesmo tempo, batendo as mãos no alto. Era o costume deles, sempre que faziam alguma coisa igualzinho.

Judy e Rocky ficaram um pouco ali parados, bem em cima da tampa do buraco do telefone.

– O que será que tem debaixo da rua? – perguntou Rocky.

– Minhocas e mais minhocas – disse Judy.

– Vamos juntar mais minhocas e jogar no buraco? – disse Rocky.

– Que nojo!

– Ou então vamos procurar um arco-íris numa poça d'água? – sugeriu Rocky.

– Ah, é muito difícil!

– Escuta! Escuta só! – disse Rocky. – Estou ouvindo uns sapos. A gente podia caçar um!

Rocky correu de volta para casa para buscar um balde. Quando voltou, os dois encurralaram um sapinho num canto e jogaram o balde em cima dele.

— Peguei! — Judy pegou o sapo nas mãos. Era macio, mas cheio de carocinhos. Meio frio, mas não escorregadio.

De repente Judy sentiu alguma coisa molhada e quente na mão.

— Ih! O sapo fez xixi na minha mão! — Judy jogou o sapo de volta no balde.

— Vai ver que ele estava só molhado de chuva — disse Rocky.

— Ah é? Então experimente você pegar nele!

Rocky apanhou o sapo e ficou segurando. Era macio e cheio de carocinhos,

frio mas não escorregadio. Logo Rocky sentiu alguma coisa quente e molhada na mão.

— Ih! — gritou. — Agora ele fez xixi em mim! — jogou o sapo de volta no balde.

— Está vendo? — disse Judy. — Foi a mesma coisa com nós dois.

— Toca aqui! — disse Rocky, e os dois deram a sua tradicional palmada no alto. — Agora nós dois somos do mesmo clube. Um clube secreto que só nós dois conhecemos!

— Ótimo! — disse Judy. — Assim já posso colocar na minha colagem que eu sou sócia de um clube.

— Como vamos chamar nosso clube? — perguntou Rocky.

— Clube do Xixi de Sapo!

– Legal! – disse Rocky. – A gente podia escrever só "Clube do XS" nas nossas colagens.

– Ninguém vai entender nada!

– Ou então vão pensar que é o clube do papel higiênico "Extras-suave"!

– Perfeito! – disse Judy.

– Ei, vocês dois! O que vocês estão fazendo? – perguntou Chiclete, que chegou correndo com suas botas de borracha grandes demais.

– Nada – disse Judy, enxugando as mãos na calça.

– Estão sim – disse Chiclete. – Eu conheço essa sua sobrancelha de taturana.

– O quê??? Que sobrancelha de taturana?

– A sua sobrancelha fica parecendo uma

taturana toda torta e peluda, quando você não quer me contar alguma coisa.

Era a primeira vez que Judy ficava sabendo que tinha sobrancelhas de taturana.

– Isso aí, taturana venenosa – disse Judy.

– Sabe o que é? Nós estamos fundando um clube – disse Rocky.

– Mas é um clube secreto! – falou depressa Judy.

– Legal, eu gosto de segredos! – disse Chiclete. – Eu quero entrar nesse clube!

– Só que não se pode ir entrando assim sem mais nem menos – disse Judy. – Para entrar nesse clube, tem que acontecer uma certa coisa com você.

– Então eu quero que isso aconteça comigo.

– Não quer, não – disse Judy.

– É nojento – disse Rocky.

– O que é? – perguntou Chiclete.

– Deixa pra lá – disse Judy.

– Você precisa segurar esse sapo na mão – disse Rocky.

– É um truque, não é? – perguntou Chiclete. – É só para me fazer pegar na mão um sapo todo nojento e cheio de verrugas!

– Isso mesmo – disse Judy.

Mas Chiclete pegou o sapo mesmo assim.

– Ei, até que é... interessante. Parece um pepino em conserva, todo cheio de bolinhas. Eu nunca tinha segurado um sapo na mão. Pronto, já segurei. Agora posso entrar no clube?

– Não – disse Judy.

– Puxa, nem acredito que não é tão nojento – disse Chiclete.

– Espere e verá – disse Rocky.

– Será que eu vou ficar com verrugas? – perguntou Chiclete.

– Você está sentindo alguma coisa? – perguntou Rocky.

– Não, nada! – disse Chiclete.

– Nesse caso – disse Judy, – você não pode entrar no clube. Devolva o sapo. Ponha de volta no balde.

Chiclete começou a chorar: – Mas eu peguei o sapo na mão! Eu quero entrar no clube!

– Para de chorar! – disse Judy. – Acredite em mim, você não vai querer entrar nesse clube.

Bem nesse momento, Chiclete arregalou os olhos. Estava sentindo alguma coisa quente e molhada na mão.

Judy e Rocky rolaram de rir.

– E agora, já entrei no clube? – perguntou Chiclete.

– Entrou! – disseram Judy e Rocky ao mesmo tempo. – É o Clube do Xixi de Sapo!

– Oba! – gritou Chiclete. – Eu também sou do Clube do Xixi de Sapo!

A pior coisa que já me aconteceu

Hoje é o Dia *D*. Dia *Droga*. Sábado. Dia da festa de aniversário do Frank, o tal que come cola. "Prefiro comer dez vidros de cola a ir nessa festa", pensou Judy.

Fazia três semanas que ela escondia o convite, entregue em mãos pelo próprio Frank, embaixo do tabuleiro do jogo de trilha, onde a mamãe e o papai (que detestavam jogar trilha) nunca iriam encontrá-lo.

Só que hoje, o próprio dia da festa, o pior aconteceu: o papai ficou sabendo.

Ela, a própria Judy, tinha pedido ao pai para levá-la até a Pêlos & Penas comprar comida para sapinhos. Estava olhando um kit de criação de sapos – uma caixa com ovinhos e girinos de verdade, e um cartaz dizendo:

Para você acompanhar :

Veja os girinos se transformando em sapos!

Veja os rabinhos encolherem! Veja as perninhas crescerem! Veja os pés se formarem!

Ela já ia pedir ao papai para comprar esse kit, quando sentiu um empurrão nas costas. Era uma caixa idêntica a essa, e quem estava segurando era a mãe de Frank.

– Judy! – disse ela. – Que engraçado! Nós duas tivemos a mesma ideia para o presente do Frank! Eu achei que ele ia adorar esses girinos que vão se transformando em sapinhos.

– É mesmo?... – disse Judy.

– Pois é! Eu já ia comprando o mesmo kit! Olha, o Frank está louco para você ir à festa dele.

– Festa? – disse o pai, de orelha em pé.

– Que festa é esta?

– O aniversário do Frank! Eu sou a mãe dele.

– Muito prazer – disse o pai de Judy.

– O prazer é meu – disse ela. – Judy, espero você lá em casa hoje à tarde! Tchauzinho! – e colocou de volta na prateleira a caixa dos girinos.

– Frank adora répteis! – disse ela, se despedindo.

"Não são répteis, são anfíbios", pensou Judy.

– Judy – disse o pai –, por que você não me falou que queria comprar um presente para o seu amigo? Eu nem sabia que você tinha uma festa hoje. Você falou alguma coisa?

– Não.

No carro, Judy tentou convencer o pai de que naquela festa só iriam meninos. Meninos fazendo barulhos indecentes, chamando um ao outro de apelidos nojentos, fazendo todas aquelas grosserias que os meninos fazem.

– Aposto que você vai ser divertir – disse o pai.

– Sabe, pai, o Frank come cola!

– Mas você já comprou o kit dos sapinhos.

– Eu bem que queria ficar com ele para mim.

– Mas a mãe dele colocou a caixa de volta na prateleira quando viu a sua. Pelo menos leve o presente até lá, Judy.

– Preciso embrulhar?

Pela cara dele ela já sabia a resposta.

Judy embrulhou o presente – um presente bom demais para um garoto que come cola – no papel mais sem graça que encontrou em casa: jornal (mas não a página dos quadrinhos). A festa começava às duas horas, mas ela disse aos pais que só começava às quatro. Assim só precisaria ficar nos últimos minutos daquela festa cretina.

A família toda foi de carro até a casa de Frank. Até o sapinho, o mascote do clube

XS, foi junto, levado pelo Chiclete num copinho vazio de iogurte. Judy, com o presente de Frank na mão, afundou no banco de trás, num mau humor terrível. Por que Rocky precisava ir na casa da avó, justo HOJE?

– A Judy está chorando! – dedou Chiclete, transmitindo a notícia para o banco da frente.

– Não estou! – respondeu ela com um olhar furibundo.

Quando chegaram à casa de Frank, Judy desceu e disse à família: – Me esperem bem aqui! Eu já venho já!

– Vai, filha, divirta-se! – disse o pai. – Daqui a meia hora nós voltamos para pegar você. Quarenta minutos no máximo.

– Nós só vamos até o supermercado – disse a mãe.

Mas dava no mesmo se eles fossem até a Nova Zelândia.

A mãe de Frank abriu a porta: – Judy! Achamos que você não vinha mais. Entre! Vamos para o quintal. Fra-a-ank! A Judy chegou, meu bem!

Judy olhou em volta do quintal e só viu meninos. Meninos e mais meninos – meninos jogando doces um no outro, meninos misturando bolo de chocolate com *ketchup*, meninos fazendo experiências com insetos, meninos afogando um gafanhoto num copo de refresco.

– Cadê as outras crianças? – perguntou Judy.

– Todas já chegaram, querida. A irmãzinha do Frank, a Margô, foi brincar na casa de uma amiguinha. Esses meninos aqui você deve conhecer, são todos da escola. Também vieram os meninos do vizinho, o Cenoura e o Alfacinha.

"Então Cenoura e Alfacinha eram meninos!", pensou Judy. "O Frank me enganou com as tais 'crianças' do vizinho!" Conclusão: ela, Judy, era a única menina da festa. Só ela e mais ninguém!

Judy ficou com vontade de subir no balanço de pneu do Frank e dar uns berros feito um macaquinho da floresta Amazônica. Mas em vez disso perguntou: – Nessa casa tem banheiro?

Judy resolveu ficar no banheiro da casa de Frank para o resto da vida. Ou pelo menos até seus pais voltarem da Nova Zelândia. Aquela festa de aniversário do Frank, só com meninos, tinha que ser A PIOR COISA QUE JÁ ME ACONTECEU!

Olhou em volta no banheiro, procurando alguma coisa para fazer. Achou um lápis de sobrancelha no armarinho e teve uma ideia. Desenhou mais alguns dentes bem afiados na sua camiseta de tubarão, aquela que tinha usado no primeiro dia de aula. Ficou demais!

– Toc toc toc! Ju-u-u-dy? Você está aí dentro?

Judy abriu logo a torneira para a mãe do Frank pensar que ela estava lavando as mãos.

– Já vou! Um momento!

A água espirrou nela e molhou toda a camiseta. Os novos dentes do tubarão ficaram borrados e começaram a escorrer.

Judy abriu a porta. A mãe de Frank disse:

– O Frank ia abrir o seu presente, mas você sumiu!

Judy voltou para o quintal. Beto apontou para sua camiseta molhada:

– Ei, pessoal! Olha lá um tubarão! Com sangue escorrendo da boca!

– Sangue preto!

– Legal!

– Uau!

– Como você fez isso?

– Só talento – disse Judy. – E um pouco de água.

– Oba, guerra de água! – Beto pegou um copo de água e jogou no Artur. Miguel jogou outro copo de água no Dario. Frank despejou um copo de água na própria cabeça e deu um grande sorriso.

A mãe de Frank chegou correndo, o que acabou com a guerra de água.

– Beto! Miguel! Seus pais estão aqui. Não esqueçam de levar suas lembrancinhas.

A mãe deu uma Mola Maluca para cada garoto que ia saindo. Quando chegou a vez de Judy, já tinham acabado.

– Acho que contei errado – disse ela.

– Ou então o Beto levou duas – disse Frank.

– Não tem problema. Judy, fique com isso aqui de presente. Eu ia comprar para todos, mas só achei três na loja.

Deu então para Judy uma coleçãozinha miniatura de pedras semipreciosas, numa caixinha transparente! Havia pequeninas ametistas, jades, e até um pedaço de âmbar, todos de cores lindas.

– Muito obrigada! – disse Judy, com sinceridade. – Eu adoro colecionar pedras, e todo tipo de coisas. Sabe? Uma vez meu irmãozinho achou que tinha encontrado um meteorito de verdade!

– O Frank também adora colecionar – disse a mãe. – Ei, Frank, os meninos já foram todos embora. Por que você não leva a Judy para o seu quarto e mostra a ela suas coleções, até os pais dela chegarem?

– Vamos, Judy! O último que chegar lá em cima é uma banana podre!

"Aposto que ele coleciona vidros de cola", pensou Judy. "Vai ver que ele guarda lá em cima para comer de lanche à noite."

No quarto de Frank, Judy viu uma porção de prateleiras cheias de latas, latinhas,

potinhos de comida de bebê. Cada potinho estava cheio de bolinhas de gude, ou bichinhos de plástico, ou borrachas, tudo quanto é tipo de coisa.

Judy não conseguiu se segurar: – Ei, Frank, você tem alguma borracha de time de voleibol?

– Tenho dez! – disse Frank. Ganhei quando um jogador da seleção veio visitar a nossa escola.

– É mesmo? Eu também!

Quase, quase ela disse "Toca aqui!", mas conseguiu se segurar bem a tempo.

– Vou botar uma dessas borrachas na minha colagem – disse Frank. – Vai entrar junto com a minha mascote, um besourinho de plástico que dá estalos. Vou colocar na parte dos PASSATEMPOS. Meu passatempo é fazer coleções.

– O meu também! – disse Judy.

Frank também tinha dois apontadores – um em forma de sino, outro em forma de cérebro. Mostrou ainda um livrinho bem pequenininho de figuras, desses que a gente folheia bem depressa e elas formam um filminho. Mostrou ainda sua moeda rara, com a cabeça de um búfalo, uma moeda valiosa que ele guardava num cofre de porquinho fechado a chave.

– Essa aqui ainda não é uma coleção, porque só tenho uma.

– Tudo bem – disse Judy.

Frank também tinha uma coleção fantástica de revistas de quadrinhos antigas, como

Luluzinha, Batman e *Capitão Marvel*. E, para completar, tinha até uma coleção de sabonetinhos em miniatura, cada um com o nome de um hotel de luxo escrito na embalagem.

Judy esqueceu completamente que queria ir embora. Perguntou:

— E isso aí, o que é?

— É uma planta goleira. Ela apanha qualquer inseto. Eles pensam que ela é uma flor, e aterrissam. Daí eles caem nesse tubo aqui, e a planta come o inseto todinho.

— Que legal! – disse Judy. Eu também tenho uma planta carnívora, a Papa-Tudo.

— Eu sei – disse Frank. – Foi engraçado quando você levou a planta para a escola. Ela comeu carne crua e ficou cheirando mal dentro da sua mochila. Foi gozado!

– Ju-u-u-dy! Seus pais chegaram!

– Tenho que ir embora – disse Judy.

– Tá. Obrigado pelo kit dos sapinhos – disse Frank, torcendo a perninha de um besourinho de plástico da sua coleção.

– Ei, Frank. É verdade mesmo que você come cola?

– Uma vez só eu botei um pouquinho na boca... Foi só para ganhar uma aposta.

– Ah! Agora entendi...

A pior, pior, pior coisa que já me aconteceu

Judy começou o dia de mau humor. Era o dia em que o Chiclete, seu irmãozinho, chatinho e fedidinho, que vendia terra do chão como se fosse pó de meteorito, ia fazer um passeio com a classe dele. E sabe para onde? Até a capital do país, visitar o presidente!

Além disso, a mamãe e o papai iam também, para ajudar a tomar conta das crianças.

Só que ela, Judy Moody primeira e única, tinha que ficar em casa e terminar a sua colagem! E ainda faltava completar vários pedaços em branco.

— Acho que o meu cérebro está com vazamento — disse Judy aos pais. — Não consigo pensar em nada de interessante para colocar na minha colagem!

Judy afundou no sofá da sala como um balão que perdeu todo o gás.

— Aposto que, se eu também fosse pra capital, ia me acontecer uma porção de coisas interessantes!

— Mas você sabe que é só para as crianças da segunda série, meu bem — disse a mãe.

— GRRRR! — foi a única resposta.

— Acho que vamos voltar para casa tarde

– disse o pai. – Você pode ir pra casa do Rocky depois da aula. Quem sabe vocês dois terminam a colagem juntos?

– Aposto que você vai se divertir – disse a mãe. – Aliás, hoje não era a apresentação da Semana do Dentinho?

Ai! Judy tinha se esquecido disso. Mais um motivo para ficar de mau humor. O Chiclete vai dar tapinhas nas costas do presidente, enquanto ela, Judy, ia ter que apertar a mão do Seu Dentinho, da Dona Escovinha e do Fiozinho Dental!

Nesse momento Chiclete entrou na sala, enrolado numa toalha de mesa listrada. Parecia que um piquenique voador tinha caído em cima da cabeça dele.

– O que é isso?? – perguntou Judy.

— É uma fantasia pro meu projeto VOCÊ É A BANDEIRA. Eu sou a bandeira, não está vendo?

— Mas, Chiclete, não era pra você ser a bandeira. Era só para dizer o que a bandeira significa pra você!

— Ué, pra mim significa que EU SOU a bandeira!

— E o que é isso na sua cabeça?

— Uma cartola. Não está vendo? Cada estrelinha representa um estado, como na bandeira.

— Deixe eu contar. Aposto que está errado.

— Não, senhora, eu já contei. Fui marcando todos os estados no mapa.

— Você se esqueceu de dois estados.

— Você acha que o presidente vai reparar? – perguntou Chiclete.

— Lógico! Ele foi assim, praticamente, quem criou os estados! Claro que ele vai reparar.

— Está bem, está bem! Vou arranjar mais duas para enfiar na cartola.

— Todos os garotos da segunda série escrevem uma poesia para a bandeira ou fazem um desenho da bandeira. Só o meu irmão que resolveu "ser" uma bandeira humana!

— E daí? Qual é o problema?

— Nenhum, só que você parece uma múmia enrolada numa bandeira.

— Sabe de uma coisa? Hoje eu vou ver a casa do presidente, e lá é tudo feito de ouro!

Ouro de verdade! Até as cortinas e as colchas na cama. A Elaine falou que as lâmpadas são feitas de diamante.

– Então essa Elaine é uma grande mentirosa – disse Judy.

Mas não adiantava. Ela precisava mudar sua colagem. A festa de aniversário do Frank não era mais A PIOR COISA QUE JÁ ME ACONTECEU. Imagine, ele só comeu um pouquinho de cola para ganhar uma aposta! E ainda deu pra ela um vidrinho com seis formigas e uma mosca, de presente para a Papa-Tudo.

Não visitar a casa do presidente da república era decididamente, positivamente, absolutamente A PIOR COISA QUE JÁ ME ACONTECEU. A família inteira, inclusive seu irmão, a bandeira humana, ia passear na capital do país, enquanto ela, Judy, teria que escutar a palestra do Seu Dentinho e seu amigo, o Fio Dental!

A coisa mais engraçada que já me aconteceu

Lá fora chovia canivetes, como se diz. O pai de Judy não a deixou ir para a escola sem guarda-chuva, e o único guarda-chuva que ela encontrou era um de patinho amarelinho, que ela usava no jardim-de--infância. Claro que ela não ia pagar o mico de andar com aquele guarda-chuva de bebê. Saiu na chuva sem nada e ficou totalmente encharcada.

"Aposto que nesse momento o sol está brilhando em cima da casa do presidente", pensou Judy. Ela se sentia como uma bicicleta largada na chuva, enferrujando.

No ônibus, Rocky lhe disse:

– O Frank também quer vir lá em casa depois da escola. E sabe da maior? Tenho uma nota novinha de dez pratas. Podemos ir até a lojinha depois da escola e comprar alguma coisa bem legal.

Judy só respondeu:

– Será que eles têm ouro de verdade lá na lojinha?

Na hora do ditado Judy escreveu SARAMPO, quando o professor falou GRAMPO.

Na aula de ciências, quando Jéssica lhe jogou uma bola de barbante, para fazerem uma teia de aranha gigante, Judy a deixou cair no chão. A bola rolou até o corredor, justo quando dona Teresa, a diretora, vinha passando, fazendo clique-clique com seu salto alto.

E, na reunião da Semana do Dentinho, imagine o que aconteceu – o Dentinho escolheu justamente Judy para fazer o papel de cárie! E isso no palco, na frente da escola inteira!

Judy não conseguia se esquecer do Chiclete visitando a casa do presidente, onde ela não estava. Vendo todos aqueles móveis feitos de ouro de verdade. Será que ele ia apertar a mão do presidente? Conhecer os filhos do presidente? Sentar numa cadeira toda de ouro?

Judy perguntou ao Frank:

– Você já viu uma bandeira falar?

– Bom, se for uma bandeira falante...

Isso foi o fim. Imagine como Chiclete ia ficar convencido depois de visitar o presidente!

Voltando de ônibus para casa depois da escola, Rocky espirrou água em Frank com sua moeda mágica. Frank enxugou o nariz na manga. Judy fingiu que achou engraçado. "Puxa vida!", pensou ela. "Vai ver que neste exato momento o Chiclete está pegando no colo o cachorrinho do presidente!"

Rocky disse:

– Tomara que a gente chegue logo na lojinha!

Judy só respondeu com um grunhido de mau humor:

– Grrrnf!...

Os três saíram correndo, pulando as poças de água que sobraram na rua, até chegar na lojinha. Rocky nem parou para atravessar a China e o Japão da maneira certa, como eles sempre faziam.

– Por que tanta pressa? – perguntou Judy.

– Preciso de uma coisa – disse Rocky. – Só tinha uma lá na loja, e quero comprar antes que alguém compre!

Quando chegaram na loja Rocky foi direto até o balcão:

– Aqui, pessoal! Ainda sobrou uma. Olhem só!

Judy ficou na ponta dos pés e espiou dentro de uma caixa em cima do balcão. No fundo da caixa havia... uma mão! A mão de uma pessoa!

Judy abafou um grito de susto. Frank também. Daí perceberam que a mão era de borracha.

– Que tal? – perguntou Rocky.

– É demais! – disse Judy.

– É dez! – disse Frank. – Parece de verdade, com as unhas e tudo!

Rocky comprou a mão e três chocolates.

– O que você vai fazer com a mão? – perguntou Frank.

– Ainda não sei – disse Rocky. – Mas eu gostei dela e quis comprar para mim.

Chegando na casa de Rocky, Judy tentou trabalhar na sua colagem, mas não estava nem um pouco ligada em A COISA MAIS ENGRAÇADA. Parecia que todas as coisas engraçadas que já tinham lhe acontecido na vida tinham ido embora da sua cabeça. Marchando em fila rapidinho, como uma fileira de formigas saindo apressadinhas de um piquenique.

Rocky mostrou para Judy e Frank sua colagem, já terminada.

– Aqui está o Barão do Rio Branco olhando na janela da minha casa. É o ONDE EU MORO da minha colagem. Recortei de umas gravuras de dinheiro antigo.

– Essa é ótima! – disse Frank. – Ele próprio representa a rua Barão do Rio Branco!

– Esse pedaço de pano é da minha tipoia, de quando eu quebrei o braço. É A PIOR COISA QUE JÁ ME ACONTECEU. E aqui está uma embalagem de papel higiênico Extrassuave. Representa o Clube do XS, onde eu sou sócio – disse Rocky, olhando de lado para Judy.

– Clube do XS? – perguntou Frank. – Que clube é esse, que o símbolo é um papel higiênico?

– Se eu te contar não vai ser mais segredo.

– E isso, o que é? – perguntou Frank, apontando para uma lagartixa.

– Esse é o Houdini, minha lagartixa. É MINHA MASCOTE FAVORITA.

– E quem é esse homem atravessando a parede? – perguntou Frank.

– Esse é o pedaço que eu mais gosto da minha colagem. É o Houdini de verdade, um grande mágico. Minha mãe copiou uma foto do Houdini, que ela pegou num livro da biblioteca.

Judy pôs a mão num dente de alho.

– Que é isso? Quer espantar vampiros?

– É lembrança do dia em que eu comi um dente de alho inteiro, por engano. A COISA MAIS ENGRAÇADA QUE JÁ ME ACONTECEU é que eu passei uma semana fedendo como um gambá!

– Feito a Papa-Tudo, quando comeu carne moída! – disse Frank.

– Que nem o Chiclete quando tira as meias! – disse Judy.

– E esse aqui é você? – perguntou Frank.

– Sou eu com a minha cartola de mágico, fazendo um peixinho desaparecer.

– Que pena que você não pode fazer o meu irmão desaparecer – disse Judy.

– Que pena que eu já acabei – disse Rocky. – Seria tão engraçado colocar a mão de borracha na colagem!

E foi aí que a ideia surgiu. A ideia mais engraçada de todos os tempos! Ficou rodeando a cabeça da Judy feito um disco voador e acabou aterrissando certinho, como fazem as boas ideias.

— Rocky, você é um gênio! — disse Judy.

— Vamos lá para a minha casa correndo! E vamos levar a mão!

— Eu sou gênio, mas você não é — disse Rocky. — Na sua casa não tem ninguém. Não é legal ficarmos lá sozinhos, pode dar algum problema.

— Exatamente! — disse Judy. — A graça toda é que não tem ninguém em casa. Vamos lá! Meus pais sempre deixam uma chave no esconderijo, dentro da calha.

— Você esqueceu alguma coisa lá?

– Sim! – disse Judy. – Esqueci de fazer uma brincadeira com o meu irmão.

Chegando em casa Judy saiu correndo, procurando o melhor lugar para deixar a mão de borracha. Um lugar onde o Chiclete encontrasse logo. No sofá? No aquário do sapinho? Na geladeira? Debaixo do travesseiro dele?

No banheiro!

No banheiro do andar de baixo, Judy levantou a tampa da privada – só um pouquinho – enfiou a mão de borracha lá dentro e deixou-a pendurada lá, com os dedos saindo para fora.

– Parece de verdade! – disse Rocky.

– Meu irmão vai se assustar tanto que vai até esquecer do presidente! – disse Judy.

Onde?

Aqui

Que tal aqui?

Humm...

Ou aqui?

Quem sabe aqui?

Já sei!

Perfeito!

De volta na casa de Rocky, os três ficaram de joelhos na cama de Rocky olhando pela janela. Cada vez que um carro passava chispando pela rua, eles gritavam:

– São eles!

Finalmente chegou a caminhonete azul bem conhecida.

– Vamos lá correndo! – gritou Judy. – Eles já estão estacionando na porta de casa!

Chiclete ficou tão animado contando para Judy, Rocky e Frank sobre a casa do presidente que as duas estrelinhas extras caíram da cartola.

"Por que ele não vai logo ao banheiro?", pensou Judy.

– Dentro da casa do presidente tem um cinema, juro! Um cinema completo! E um

quarto com uma porta secreta. Sem men-
tira! Tem até um relógio na parede que toca
na hora de tomar banho.

– Você bem que precisava de um relógio
assim! – disse Judy.

"Vai, Chiclete, vai ao banheiro!", pensou
ela com força. Como se tivesse ouvido, Chiclete interrompeu sua história. Equilibran-
do a cartola na cabeça, entrou no banheiro
e fechou a porta. Judy ouviu o trinco fazer
clique.

Daí, a mãe e o pai perguntaram como
foi a apresentação do Dentinho e da Escovinha, mas ela estava de orelha em pé, pres-
tando atenção no banheiro.

– AAAAAHHHHH!!! – gritou Chiclete,
saindo feito um rojão do banheiro, com a

cartola caindo no chão, voando estrelas para todo lado.

– Pai! Mãe! Tem uma pessoa dentro da privada!

Judy, Rocky e Frank riram até cair no chão e rolar de tanto rir.

A Colagem "Quem sou Eu"

No dia seguinte depois da escola, Chiclete ficou olhando enquanto Judy terminava a colagem.

– Quase pronta! Preciso entregar amanhã.

Chiclete apontou com o dedo:

– Ainda tem um espaço vazio aqui, ao lado da foto da Papa-Tudo.

Judy colou no espaço vazio, com todo o cuidado, uma mãozinha de boneca da sua coleção.

– Pronto!

– Por que essa mão? – perguntou Chiclete. – É por causa daquela brincadeira que você fez comigo?

– Sim! Essa foi A COISA MAIS ENGRAÇADA QUE JÁ ME ACONTECEU – disse Judy com um sorrisão.

– Mas você vai contar pra classe inteira que eu pensei que tinha alguém na privada?

– Então, Chiclete, você vai ser famoso!

– Caramba! Não dá pra você mudar meu nome, ou algo assim?

– É... algo assim!

Quando Judy levantou na manhã seguinte, chovia a cântaros novamente. Sua intuição lhe disse: prepare-se para uma sexta-feira negra. Que mau humor!

– Vamos colocar a colagem num saco de lixo para não molhar – sugeriu o pai, quando ela trouxe a colagem para a sala.

– Mas, pai, eu não vou levar minha colagem pra escola num saco de lixo!

– Por que não?

– Ora, por acaso Van Gogh colocou a sua "Noite Estrelada" dentro de um saco de lixo quando acabou de pintar?

– Sabe que ela tem razão? – disse a mãe.

O pai respondeu:

– Naquela época o saco de lixo nem tinha sido inventado. Se Van Gogh pudesse, bem que teria usado.

– Querida – disse a mãe –, por que você não vai de ônibus e deixa o papai levar sua colagem para a escola mais tarde? Ele pode levar depois que for buscar o Chiclete no dentista. Hoje o Chiclete vai levar o sapinho para a escola, então o papai tem que levá--lo de carro de qualquer maneira.

— Não! – disse Judy. – Eu mesma quero levar minha colagem para a escola, sozinha. Quero ter certeza de que nada vai acontecer com ela.

— O que poderia acontecer? – perguntou a mãe.

— Pode vir uma ventania, uma tempestade, um ciclone – disse o Chiclete. – A colagem pode voar da sua mão, e um ônibus passar por cima.

— Caramba! – disse Judy.

— Você já tem várias outras coisas para levar para a escola – disse o pai.

Além do lanche, Judy precisava levar o guarda-pó do pai, para se vestir de médica na sua apresentação. Também tinha que levar a Sara Sarajá, seu estojo de médica e um monte de band-aids.

– Tá bom, pai. Mas cuidado com a minha colagem! Não dobre! Não deixe molhar! E eu vou precisar dela às onze em ponto!

– Está bem, filha, calma!

– E outra coisa: não deixe o Chiclete nem encostar nela! – Judy lançou ao irmão o seu melhor olhar de bruxa malvada.

– Pode deixar, vamos tomar muito cuidado – disse o pai.

Judy foi de ônibus com Rocky, que aplicou nela o truque da moeda que espirra água – pela centésima vez.

– Já sei que isso funciona! – disse Judy, enxugando o rosto. Rocky caiu na risada.

A manhã inteira Judy ficou sentada na sua carteira só imaginando coisas terríveis acontecendo com a sua colagem. E se a colagem caísse numa poça d'água, quando o pai fosse abrir a porta do carro? E se o sapinho XS pulasse fora do bolso do Chiclete e fizesse xixi na colagem? E se viesse uma ventania fortíssima, como disse o Chiclete...

O relógio deu onze horas, e nada da colagem chegar. Nem sinal do Chiclete nem do papai.

Judy nem prestava atenção nas outras crianças da classe, que apresentavam suas colagens. Estava com os olhos grudados na porta da sala de aula.

– Judy, quer ser a próxima? – perguntou o professor.

Judy levou um susto: – Hãn? Ah.... Eu gostaria de ser a última.

– E você, Frank?

– Eu também gostaria de ser o último, depois da Judy.

Judy olhou para a carteira de Frank e perguntou:

– Onde está sua colagem?

– Eu não trouxe. Ainda não terminei. É que eu ainda não tenho nenhum clube para colocar. E a sua?

– Meu irmão vai me trazer.

Judy olhou mais uma vez para a porta – e felizmente, lá estava ele! Chiclete fez sinal que queria falar com ela no corredor.

Chiclete estava com uma cara péssima. Parecia doente, passando mal.

– O que aconteceu? – perguntou Judy.

– Se eu te contar, você vai ficar no pior mau humor do mundo.

– E a minha colagem, onde está? Você deixou cair numa poça d'água? Seu sapo fez xixi nela?

– Não, nada disso.

– Então onde está?

– Está com o papai, lá no banheiro dos meninos. Está secando.

Judy correu para o banheiro dos meninos, abriu a porta e entrou direto. O chão estava cheio de folhas amassadas de papel-toalha.

– Papai!

– Judy!

– Ela estragou? Deixe eu ver!

O pai lhe mostrou a colagem. Bem no meio, exatamente no centro, havia uma enorme mancha roxa, do tamanho de uma panqueca. Uma espécie de triângulo gigante, todo torto. Um lago cor de refresco de uva, flutuando bem no meio da colagem!

– O que aconteceu? – gritou Judy.

– É que eu estava tomando suco de uva de caixinha... – disse o Chiclete, que apareceu atrás dela na porta do banheiro. – Daí, eu tentei fazer um truque com o canudinho e... Desculpa!

– Chiclete, você estragou tudo! Papai! Como você deixou o Chiclete tomar suco de uva no carro?

– Escute, filha, a mancha não é tão feia

assim. Quase parece que foi feita de propósito. Deixe que eu falo com o seu professor. Quem sabe ele deixa você entregar depois? Daí a gente tenta consertar no fim de semana, cobrir a mancha ou algo assim.

– Será que a gente consegue apagar a mancha? – disse o Chiclete. – Com uma borracha gigante!

– Deixe eu ver.

Judy segurou a colagem e examinou bem. Mesmo com a mancha roxa, ainda dava para ver a floresta tropical, com a doutora Judy bem no meio. E nenhum dos band-aids tinha saído.

– Tudo bem – disse Judy.

– Tudo bem??? – perguntou o pai.

– É... tudo bem! – repetiu Judy. – Pelo

menos nenhum ônibus passou por cima dela, nem a ventania levou!

– Puxa... Mas tudo bem mesmo??? – perguntou Chiclete. – Você não vai botar um pé de borracha debaixo da minha cama ou algo assim?

– Não – disse Judy. – Mas até que é uma boa ideia!

– Escute, filha. Sei que você trabalhou um tempão neste projeto. Nós vamos dar um jeito!

– Já sei, pai! Tive uma ideia. Chiclete, me dá o seu marcador preto.

Os três saíram para o corredor e Chiclete tirou da mochila o marcador. Judy pôs a colagem no chão e traçou um contorno preto em volta do triângulo roxo.

– Você ficou maluca? – disse Chiclete. –
Com isso a mancha vai aparecer ainda
mais!

– É exatamente o que eu quero! – disse
Judy. – Vai parecer que foi de propósito.

– Estou orgulhoso de você, Judy! – disse o
pai. – Olha só, você nem se aborreceu com o

desastre, e ainda o transformou numa coisa boa!

— E agora faz de conta que essa mancha é o quê? – perguntou Chiclete.

— É um mapa da nossa cidade – disse Judy. – Representa ONDE EU MORO!

Band-aids e sorvete

Quando Judy voltou para a sala de aula, vestiu seu guarda-pó de médica, foi até a frente da classe e segurou bem alto sua colagem. Ficou bem retinha, muito digna. Nem parecia que o seu irmão quase tinha estragado sua obra-prima soprando suco de uva em cima.

Judy tentou parecer uma pessoa que quando crescer vai ser médica e fazer deste mundo um lugar melhor para se viver.

Uma pessoa capaz de dar a volta por cima no mau humor.

Judy contou à classe sobre si mesma e sua família. Contou do dia em que o Chiclete vendeu pó de meteorito, e por isso estava representado por um torrão de terra. Traçou com o dedo o contorno do mapa da cidade, para mostrar exatamente onde ela morava. Depois falou sobre Rocky, seu melhor amigo, e Frank, seu novo amigo. Apontou para um vidro de cola preso num canto da colagem, e contou para a classe:

— Uma vez Frank comeu um pouquinho de cola, mas foi só pra ganhar uma aposta.

— E essa aí, é a Papa-Tudo? — perguntou Beto. — A planta que come insetos?

— Isso mesmo — disse Judy. — Eu também

tenho uma gatinha, mas a Papa-Tudo é a MINHA MASCOTE FAVORITA. Quando eu crescer e for médica, quero morar na floresta tropical, pesquisar as plantas raras e encontrar remédios para uma porção de doenças.

Depois, Judy mostrou a mesinha de pizza que ganhou do professor e outras coisinhas que colecionava, no canto PASSATEMPOS.

– Falando em clubes, eu sou sócia do Clube do XS, mas não posso dizer o que quer dizer XS. É segredo.

Rocky tapou a boca para não rir.

Daí, apontou para uma foto na colagem: – Esta é uma foto que meus pais tiraram do Chiclete em frente à casa do presidente, vestido de bandeira.

Daí, explicou por que esse dia foi A PIOR COISA QUE JÁ ME ACONTECEU.

Mas o que a classe toda mais gostou foi quando ela mostrou a mão de boneca saindo para fora de uma privada, recortada de um anúncio de revista. Daí Judy contou a eles como A PIOR COISA acabou virando A COISA MAIS ENGRAÇADA.

Daí perguntou à classe: – Alguém quer perguntar alguma coisa?

– Quem é aquela mulher com a criança? – perguntou Frank.

Judy explicou quem foi a Dra. Maria Augusta, primeira médica do país, e deu uma demonstração das suas habilidades médicas. Colocou o braço de Rocky numa tipoia, depois enfaixou o joelho de Frank.

Daí, tirou da maleta o vidrinho de sangue de faz-de-conta, e no fim usou a Sara Sarajá para mostrar como se coloca um band-aid.

– É isso. Essa sou eu: Judy Moody!

– Muito bem, Judy! – disse o professor. – Turma, algum comentário?

– Eu gostei que você pôs o mapa da cidade no meio da colagem, para mostrar onde você mora – disse Jéssica. – Ficou mais legal do que só botar uma foto da sua casa.

– Esses band-aids de tatuagens são muito legais – disse Dario. – Eu fiz um corte na mão. Dá um para mim?

– Eu estou com a unha machucada!

– E eu com uma bolha no dedo!

– Eu me cortei com a tesoura!

– Eu levei uma picada de mosquito!

Num instante a classe inteira estava usando band-aids de tatuagem.

— Judy, você é uma agitadora nata — disse o professor.

— É mesmo? O que quer dizer isso? — perguntou ela.

O professor deu risada:

— Quer dizer que você tem uma boa imaginação.

E assim a sexta-feira, que quase tinha se tornado um dia de mau humor, acabou virando um belo dia. E ainda não tinha acabado.

Quando a aula terminou e Judy foi caminhando até o ponto de ônibus, viu sua mãe e seu pai. Estavam esperando por ela e Chiclete, para levá-los ao Sorvetão.

– Vou querer aquele sorvete azul! – gritava Chiclete, aos pulos, segurando o sapinho no bolso.

– Sua professora gostou do sapo? – perguntou Judy.

– Gostou, mas quase que ela também entrou no clube do Xixi de Sapo!

Judy caiu na risada.

– Mãe, pai, posso convidar o Rocky e o Frank para tomar sorvete também?

– Boa ideia! – disse a mãe.

Dali a pouco estavam todos sentados nas mesinhas do terraço do Sorvetão. Judy saboreava uma bola de Floresta Tropical em cima de Chocolate com Menta, seu preferido. Estava no melhor humor do mundo.

Chiclete tirou o sapinho do bolso e o colocou na mesa de piquenique. O sapinho foi pulando até chegar numa mancha azul que escorreu do sorvete de Rocky.

– Ele gosta de Floresta Tropical! – disse Rocky.

– Ei, Frank – perguntou Judy. – Quando você vai terminar a sua colagem?

– O professor disse que posso levar na segunda-feira.

– Você ainda não acabou? – perguntou Rocky.

– Não. Ainda não tenho nada para colocar na parte dos CLUBES. Procurei no dicionário: um clube precisa ter no mínimo três pessoas.

Três pessoas!... Judy olhou pro Rocky.

Rocky olhou pro Chiclete. Chiclete olhou pra Judy. Os três olharam pro Frank.

– Ei, Frank, se você pegar o sapo agora, você pode entrar num clube – disse Judy.

– É mesmo? – perguntou Frank.

– Mesmo, mesmo, de verdade! – disseram Judy e Rocky ao mesmo tempo.

Frank franziu o nariz:

– Clube? Mas que clube? Não estou entendendo!

Rocky deu risada:

– Você já vai entender!

Frank pegou no sapinho com uma mão.

– Tem que segurar com as duas mãos – disse Judy.

– Assim – disse Rocky, juntando as mãos em concha.

– É só ficar segurando o sapo um minu-
tinho – disse Chiclete.

– Continuo não entendendo nada! –
disse Frank.

– Espere um pouquinho só, você já vai
compreender! – disse Judy.

Dali a um momento Frank sentiu uma
coisa quente e molhada na mão. Rolou os
olhos para o céu, se fazendo de vesgo... e
todos riram até rolar de tanto rir.

BIOGRAFIA DA AUTORA

A escritora Megan McDonald é a caçula de cinco irmãs. Ela conta que as histórias de Judy Moody surgiram "de casos que aconteceram comigo e com minhas irmãs quando éramos pequenas". E por que ela criou Judy como irmã mais velha? "Porque eu queria saber qual a sensação de mandar em todo mundo !"

Megan mora na Califórnia, nos Estados Unidos.

BIOGRAFIA DO ILUSTRADOR

Peter Reynolds conta que sentiu uma ligação imediata com a Judy. "Tenho uma filha de onze anos e acompanho em primeira mão as aventuras de uma menina muito independente."

Peter mora em Massachusetts, também nos Estados Unidos.